Intempéries
en vue !

Table des matières

À découvrir

Quel est l'endroit dans le monde qui reçoit le plus de pluie ? À la page 8, la réponse risque de te surprendre !

Pourquoi les ouragans sont-ils parfois appelés « cyclones » ou « typhons » ? Trouve la réponse à la page 15.

Peux-tu imaginer ce que tu ressentirais si tu volais en plein coeur d'un ouragan ? À la page 16, **L'observation des ouragans**, te l'explique.

As-tu déjà vu un grêlon aussi gros qu'une balle de tennis ? Lis **État d'urgence !** à la page 20.

Visite le site www.cheneliere-education.ca/enquete

pour en savoir plus sur la MÉTÉO.

Un temps épouvantable !

Le temps a des effets sur tout ce qui se trouve sur la Terre. Il transforme le sol et influe sur notre approvisionnement en eau, notre façon de vivre, les vêtements que nous portons et même sur ce que nous ressentons.

Ce sont les **intempéries,** c'est-à-dire le « mauvais temps », qui ont le plus d'impact sur nous. Une tempête soudaine peut détruire des récoltes et endommager des immeubles. Une averse de neige abondante peut retenir les gens prisonniers de leur maison pendant des heures ou même des jours. Des vents forts peuvent déraciner des arbres et perturber les voyages en bateau ou en avion. Des agriculteurs peuvent voir leur récolte totalement détruite par trop ou pas assez de pluie.

Bouclez vos ceintures. Nous entrons dans une zone de turbulences.

La formation des nuages

Les nuages sont des masses de gouttes d'eau ou
de cristaux de glace en suspension dans l'atmosphère.
Les nuages se forment quand l'air qui contient beaucoup
de **vapeur d'eau** monte et se refroidit. Comme l'air froid
ne peut contenir autant de vapeur d'eau que l'air chaud,
une partie de cette vapeur se transforme alors
en minuscules gouttes d'eau ou en cristaux de glace
autour de particules de poussière. Ces gouttes ou
ces cristaux s'assemblent et forment des nuages.

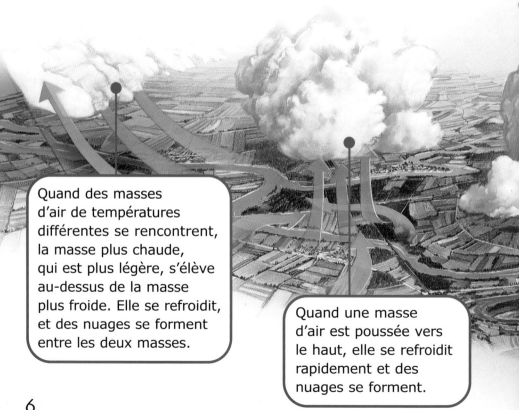

Quand des masses
d'air de températures
différentes se rencontrent,
la masse plus chaude,
qui est plus légère, s'élève
au-dessus de la masse
plus froide. Elle se refroidit,
et des nuages se forment
entre les deux masses.

Quand une masse
d'air est poussée vers
le haut, elle se refroidit
rapidement et des
nuages se forment.

Les nuages semblent blancs parce que les gouttes d'eau et les cristaux de glace qu'ils contiennent reflètent la lumière. Quand ils deviennent si épais que la lumière du Soleil ne peut les traverser, les nuages semblent noirs.

Quand l'air se réchauffe grâce à la chaleur du sol, il monte. L'air qui monte se refroidit et forme des nuages.

L'air chaud est poussé vers le haut quand il rencontre une chaîne de montagnes. Au fur et à mesure que l'air qui monte se refroidit, des nuages se forment sur le versant des montagnes exposé au vent.

La pluie, la grêle et la neige

La pluie, la grêle et la neige sont trois types de **précipitations**, c'est-à-dire de l'eau qui tombe des nuages. C'est principalement la température de l'air qui détermine la forme des précipitations.

Si les gouttes de pluie traversent une couche d'air très froid, elles gèlent et forment de petits morceaux de glace, ou grêlons. Les précipitations prennent alors la forme de grêle. Si la température est sous le point de congélation, les nuages sont formés de cristaux de glace au lieu de gouttes d'eau. Au fur et à mesure que les cristaux se forment, ils deviennent plus lourds et tombent sous forme de neige.

ÇA ALORS !

L'endroit qui reçoit le plus de pluie dans le monde est le mont Waialeale, à Hawaii. Il y tombe environ 1168 centimètres de pluie chaque année. L'endroit qui en reçoit le moins est Arica, au Chili. Cette ville construite dans le désert reçoit seulement 0,08 centimètre de pluie par année.

AMÉRIQUE DU NORD

Hawaii

AMÉRIQUE DU SUD

Arica

Chili

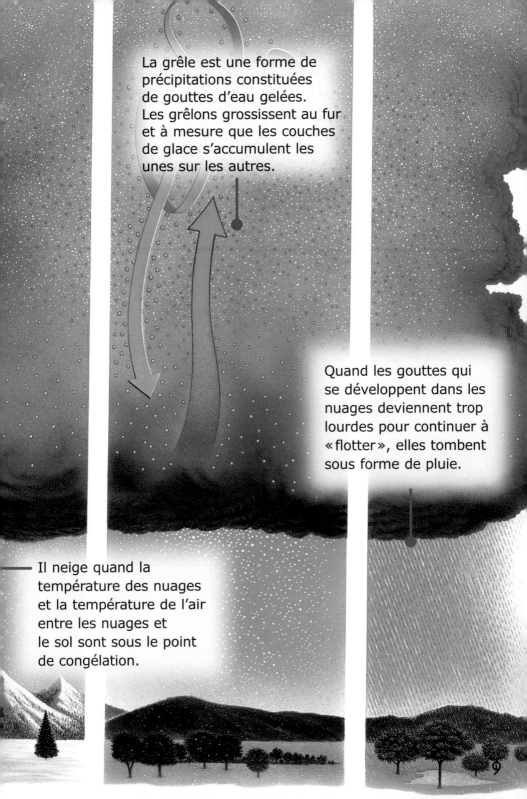

La grêle est une forme de précipitations constituées de gouttes d'eau gelées. Les grêlons grossissent au fur et à mesure que les couches de glace s'accumulent les unes sur les autres.

Quand les gouttes qui se développent dans les nuages deviennent trop lourdes pour continuer à «flotter», elles tombent sous forme de pluie.

Il neige quand la température des nuages et la température de l'air entre les nuages et le sol sont sous le point de congélation.

9

Mesurer la quantité de pluie

Un entonnoir et un tube étroit sont tout ce qu'il faut pour recueillir et mesurer la quantité de pluie qui tombe. Un système radar peut aussi mesurer la quantité de pluie. Une antenne émet des ondes radioélectriques qui se reflètent sur les gouttes de pluie. La force de cette réflexion est ensuite mesurée : plus les ondes sont fortes, plus la pluie est intense.

Les inondations

Une pluie trop forte peut provoquer des inondations. Au Canada, la plupart des inondations se produisent au printemps. Quand la neige fond et qu'il y a de fortes pluies printanières, les rivières débordent. C'est ce qui s'est passé en 1997 dans le cas de la rivière Rouge, située au Manitoba.

Les inondations se produisent souvent dans les terres basses.

Des bateaux sont utilisés pour secourir les personnes et les animaux.

Pour mesurer la quantité de pluie, place dehors une boîte de conserve qui recueillera l'eau de pluie. Mesure, toujours à la même heure, la quantité de pluie tombée chaque jour.

Des bénévoles participent souvent au remplissage de sacs de sable.

Les gens utilisent des sacs de sable pour contenir la montée des eaux.

Le tonnerre et les éclairs

Des nuages orageux se forment pendant des journées chaudes et **humides.** À l'intérieur des nuages, la friction entre les gouttes d'eau et les cristaux de glace produit des charges électriques positives et négatives. Un éclair est un rayon de lumière dans le ciel produit par un courant électrique entre les charges. Le tonnerre est le son provoqué par le réchauffement brusque d'une masse d'air qui est traversée par ce courant électrique.

Le tonnerre et les éclairs se produisent simultanément. Mais, comme la lumière voyage plus vite que le son, nous apercevons d'abord les éclairs, puis nous entendons le tonnerre.

Les types d'éclairs

D'un nuage au sol
Un éclair se forme quand il y a une accumulation de charges négatives au bas d'un nuage et de charges positives au sol.

D'un nuage à l'autre
Un éclair se forme entre de nuages quand l'un d'eux es chargé négativement et qu l'autre est chargé positiven

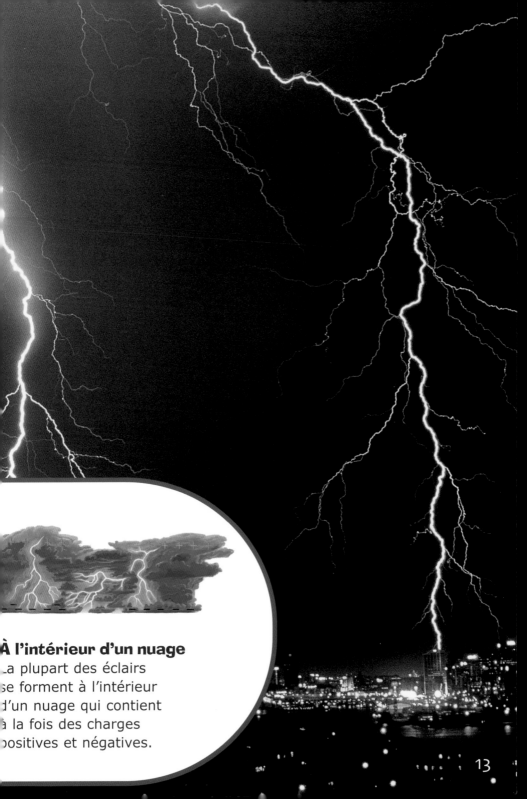

À l'intérieur d'un nuage

La plupart des éclairs
se forment à l'intérieur
d'un nuage qui contient
à la fois des charges
positives et négatives.

L'air en mouvement

Le vent est de l'air qui se déplace au-dessus de la surface de la Terre. La force du vent varie : c'est parfois une douce brise rafraîchissante, mais cela peut aller jusqu'à une violente bourrasque.

L'air se met en mouvement quand le soleil réchauffe le sol à certains endroits. L'air, au-dessus du sol, se réchauffe à son tour, devient plus léger et commence à monter. Ailleurs, l'air froid descend parce qu'il est plus lourd. Le vent souffle quand la masse d'air, poussée par l'air froid qui descend, est aspirée sous l'air chaud qui monte.

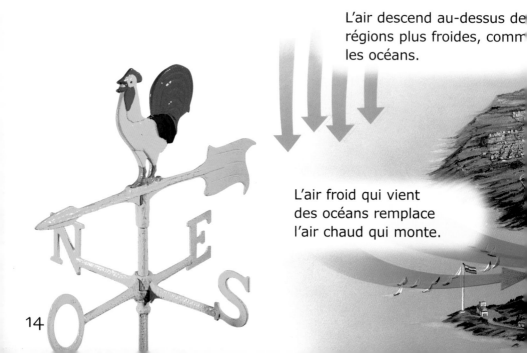

L'air descend au-dessus de régions plus froides, comme les océans.

L'air froid qui vient des océans remplace l'air chaud qui monte.

14

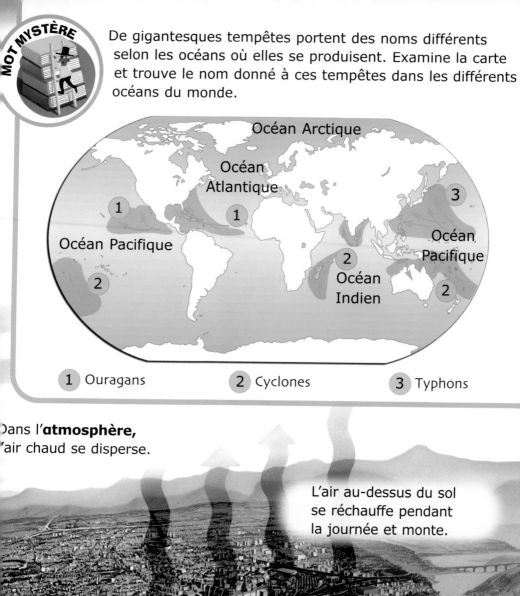

MOT MYSTÈRE

De gigantesques tempêtes portent des noms différents selon les océans où elles se produisent. Examine la carte et trouve le nom donné à ces tempêtes dans les différents océans du monde.

Océan Arctique

Océan Atlantique

Océan Pacifique

Océan Pacifique

Océan Indien

1 Ouragans   **2** Cyclones   **3** Typhons

Dans l'**atmosphère,** l'air chaud se disperse.

L'air au-dessus du sol se réchauffe pendant la journée et monte.

15

L'observation des ouragans

Comment se font la détection et l'observation des ouragans ? Un pilote d'avion météorologique explique son travail et décrit les endroits où ces avions volent.

Q Où volez-vous?

R Croyez-le ou non, nous volons en plein coeur des ouragans et des tempêtes!

Q Pourquoi allez-vous dans de tels endroits?

R Nous mesurons la pression de l'air, l'humidité et la vitesse du vent.

Q Comment prenez-vous ces mesures?

R Nous parachutons un instrument spécial, une radiosonde. Cet appareil enregistre les renseignements dont nous avons besoin, puis les communique à l'avion. Notre spécialiste de la météo transmet ces informations au *National Hurricane Center*, en Floride.

Q À quoi sert cette information?

R À prévenir la population qui se trouve sur la trajectoire d'un ouragan.

Q L'équipage compte combien de personnes?

R Il y a six membres d'équipage à chaque vol.

Q Quelle est la durée d'un vol?

R Nous restons en vol pendant environ 10 à 13 heures.

Q Est-ce que vous suivez l'ouragan?

R Non. Si possible, nous essayons de le devancer. Ainsi, l'information que nous recueillons peut être utilisée pour prévenir les gens qui doivent se mettre à l'abri et protéger leur propriété.

Quand nous sommes au centre – ou dans l'oeil – d'un ouragan, nous avons l'impression de flotter au milieu d'un gigantesque terrain de football fait de nuages. Des masses de nuages s'élèvent tout autour de nous. Au-dessus de l'avion, le ciel est bleu. Cependant, pour sortir de l'ouragan, nous devons en traverser la seconde moitié!

Des conditions météo extrêmes

Partout dans le monde, des conditions météorologiques extrêmes causent des désastres. Par exemple, une tornade est un tourbillon de vent qui aspire tout sur son passage et le rejette ensuite au sol.

Des pluies trop abondantes peuvent provoquer le débordement d'une rivière et l'inondation des terres environnantes. Une sécheresse causée par de trop faibles pluies peut complètement ruiner des récoltes. Les incendie qui éclatent dans les zones chaudes et sèches se propagent souvent rapidement, surtout quand les vents sont très violents.

ÇA ALORS !

Le vent qui tourbillonne autour de l'oeil d'une tornade peut atteindre jusqu'à 402 kilomètres à l'heure. Parfois, une tornade soulève de très gros objets, comme une automobile ou une maison, puis les « dépose » intacts un peu plus loin.

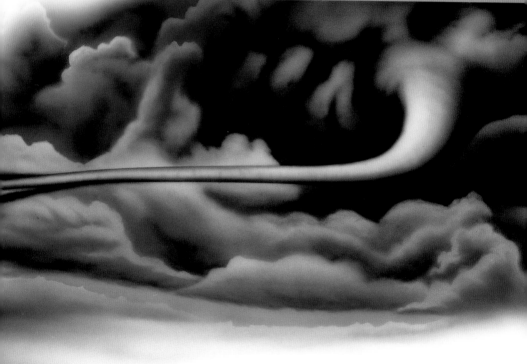

Visite le site www.cheneliere-education.ca/enquete

pour en savoir plus sur la **MÉTÉO.**

19

État d'urgence

D'énormes grêlons sont tombés sur des centaines de voitures dans les rues de Sydney

Les habitants de Sydney, en Australie, ont été victimes hier soir d'une tempête de grêle aussi violente que soudaine. Il n'y a eu aucun avertissement officiel avant la tempête, et elle a causé des dommages matériels de plusieurs millions de dollars.

La tempête s'est formée Nowra, au sud de Sydney en fin d'après-midi. Le centr météorologique régional d Sydney l'a alors détecté mais les spécialistes croyaie qu'elle s'affaiblirait et perdrait en mer. Ils se so trompés.

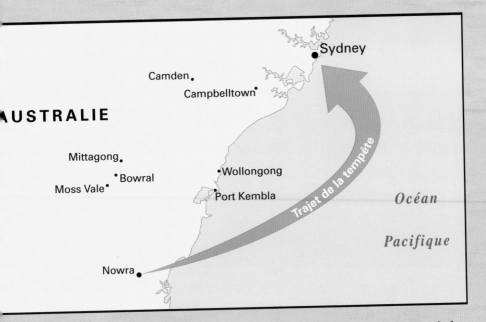

La tempête a gagné en puissance. Elle s'est dirigée vers le nord et a commencé à produire de la grêle. Elle a atteint l'aéroport de Sydney, puis a progressé à l'intérieur des terres. Elle s'est alors transformée en un « supercell », un type inhabituel de tempête.

La tempête a traversé la ville, faisant rage pendant plus de cinq heures. Des grêlons de neuf centimètres de diamètre sont tombés sur les maisons et sur les automobiles, fracassant les vitres et endommageant les toits.

À gauche : Des grêlons de la taille d'une balle de tennis sont tombés pendant la tempête. Ils sont comparés ici à une pièce de monnaie.

La météo

Chaque jour, grâce à des bateaux, à des avions, à des satellites et à des stations météorologiques, les **météorologistes** recueillent de l'information et dressent des cartes météorologiques. Ces cartes donnent des renseignements sur le vent, les nuages, la température, la pression de l'air et l'humidité.

Les météorologistes utilisent à la fois des cartes météorologiques et des photos-satellites pour faire des prévisions, c'est-à-dire prévoir les conditions météorologiques les plus susceptibles de se produire dans les heures ou dans les jours qui suivent.

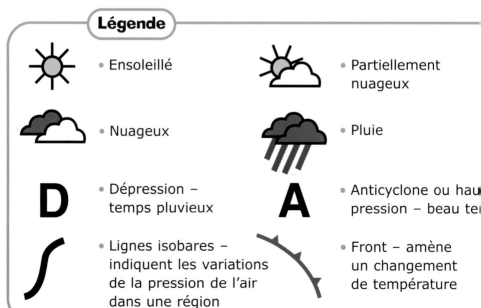

Légende

- Ensoleillé
- Partiellement nuageux
- Nuageux
- Pluie
- D • Dépression – temps pluvieux
- A • Anticyclone ou hau pression – beau te
- ∫ • Lignes isobares – indiquent les variations de la pression de l'air dans une région
- Front – amène un changement de température

Il est important de noter soigneusement toutes les informations afin de produire la carte météorologique la plus précise possible.

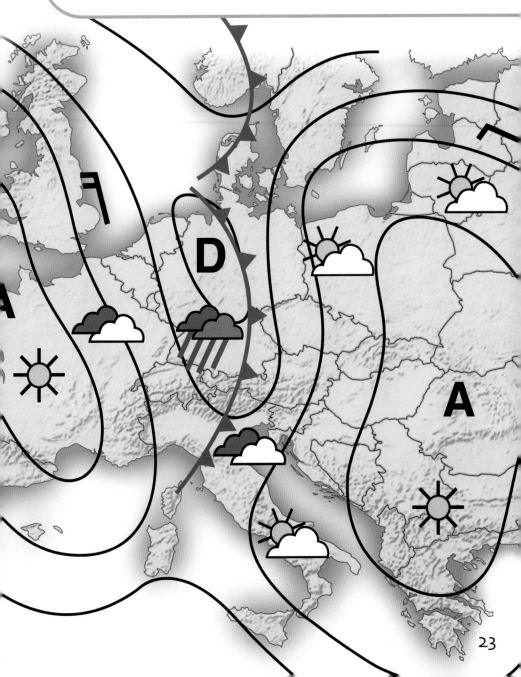

La météo et la nature

Le temps a toujours été un élément important de la vie des gens. Avant que l'étude et la prévision des conditions météorologiques ne deviennent une science, des gens tentaient d'expliquer les phénomènes météorologiques en racontant des histoires de dieux et de tempêtes. D'autres cherchaient des signes ou des indices dans la nature, comme la couleur du ciel et le comportement des animaux.

Certains signes étaient trompeurs, mais d'autres étaient assez précis pour aider les agriculteurs à planifier leur travail. Aujourd'hui encore, tu peux deviner le temps qu'il fera en examinant le ciel.

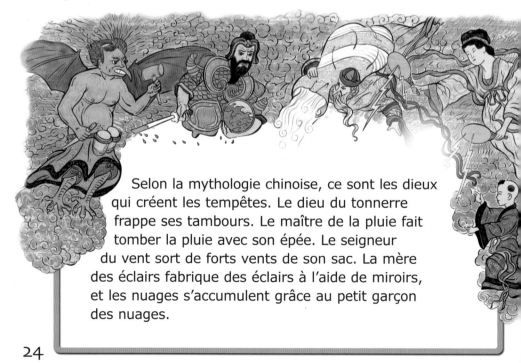

Selon la mythologie chinoise, ce sont les dieux qui créent les tempêtes. Le dieu du tonnerre frappe ses tambours. Le maître de la pluie fait tomber la pluie avec son épée. Le seigneur du vent sort de forts vents de son sac. La mère des éclairs fabrique des éclairs à l'aide de miroirs, et les nuages s'accumulent grâce au petit garçon des nuages.

La nature nous donne...

Des signes de beau temps ☀

- Des abeilles

- Des fleurs

- Les pommes de conifère ouvertes

- Le ciel rouge au crépuscule

Des signes de pluie 🌧

- Un âne qui balance
et hoche la tête

- Un chat qui fait sa toilette

- Des libellules qui volent
juste au-dessus du sol

- Un couple de pintades
qui construit un nid

Les climats du monde

Parler du climat d'une région, c'est décrire les conditions météorologiques habituelles, tout au long de l'année, observées à cet endroit. Ce climat est déterminé après avoir examiné la température et la quantité de pluie sur une période de plus de 30 ans.

Les zones climatiques dans le monde

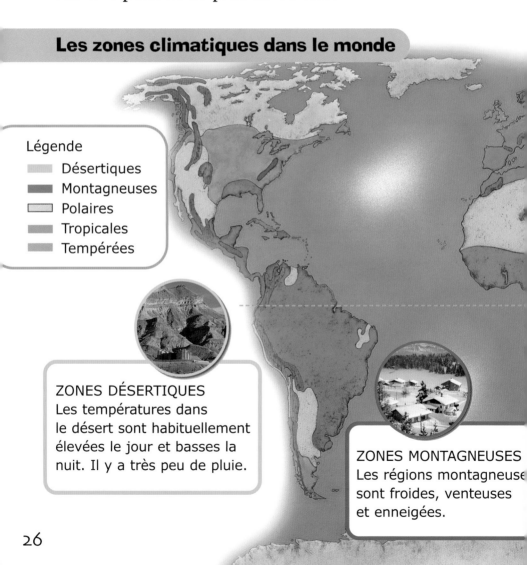

Légende
- Désertiques
- Montagneuses
- Polaires
- Tropicales
- Tempérées

ZONES DÉSERTIQUES
Les températures dans le désert sont habituellement élevées le jour et basses la nuit. Il y a très peu de pluie.

ZONES MONTAGNEUSES
Les régions montagneuses sont froides, venteuses et enneigées.

La forme **sphérique** de la Terre explique en partie
les différences de climat. L'énergie solaire frappe la Terre
de façon inégale. Cette énergie est plus abondante dans
les régions situées près de l'équateur que près des pôles.
Le climat d'une région dépend de son emplacement entre
l'équateur et les pôles, de la distance qui la sépare
de la mer et du relief de son sol.

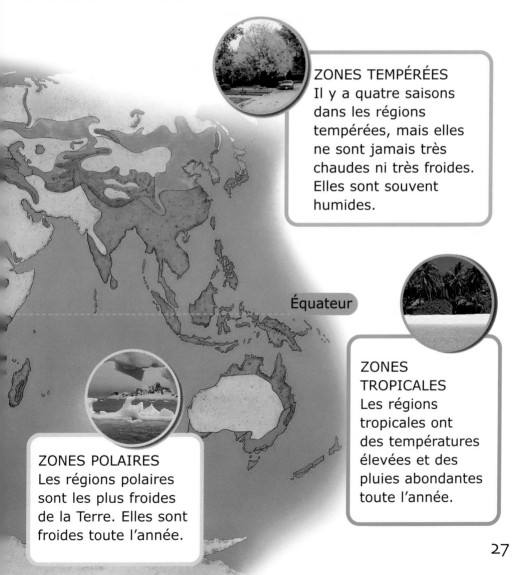

ZONES TEMPÉRÉES
Il y a quatre saisons
dans les régions
tempérées, mais elles
ne sont jamais très
chaudes ni très froides.
Elles sont souvent
humides.

Équateur

**ZONES
TROPICALES**
Les régions
tropicales ont
des températures
élevées et des
pluies abondantes
toute l'année.

ZONES POLAIRES
Les régions polaires
sont les plus froides
de la Terre. Elles sont
froides toute l'année.

27

Des questions environnementales

La **couche d'ozone** dans l'atmosphère protège la Terre des rayons nocifs du Soleil. Pendant les années 1970, un trou dans la couche d'ozone a été découvert au-dessus de l'Antarctique. Ce trou a été causé par l'émission de gaz et de produits chimiques dans l'atmosphère. Les rayons nocifs qui atteignent la surface de la Terre peuvent augmenter le risque de cancer de la peau.

Le réchauffement de la planète est un autre problème important. Les gaz, présents dans l'atmosphère, produits par le pétrole et le charbon, emprisonnent la chaleur de la Terre : c'est l'effet de serre. Cela peut transformer des terres agricoles en déserts et faire fondre les zones polaires qui inonderont les terres basses environnantes.

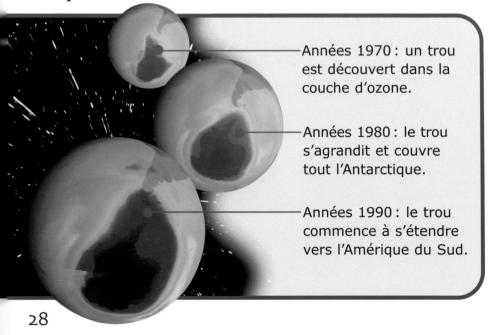

Années 1970 : un trou est découvert dans la couche d'ozone.

Années 1980 : le trou s'agrandit et couvre tout l'Antarctique.

Années 1990 : le trou commence à s'étendre vers l'Amérique du Sud.

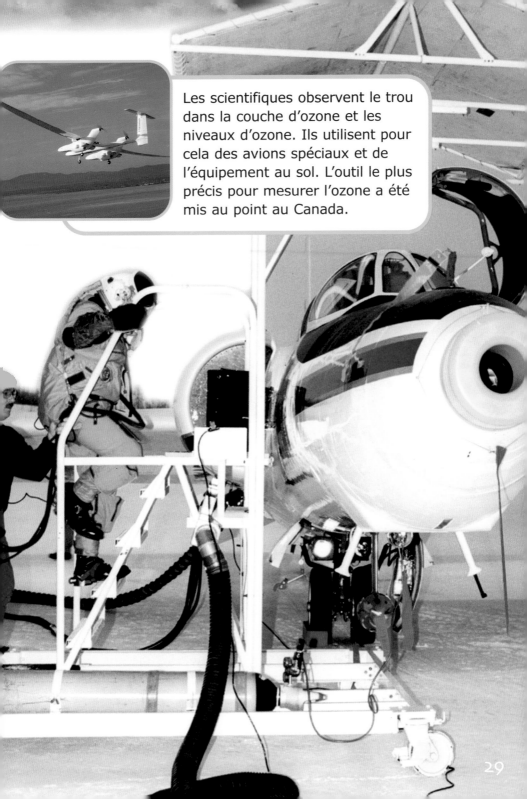

Les scientifiques observent le trou dans la couche d'ozone et les niveaux d'ozone. Ils utilisent pour cela des avions spéciaux et de l'équipement au sol. L'outil le plus précis pour mesurer l'ozone a été mis au point au Canada.

Glossaire

La lettre entre parenthèses t'indique si un mot est masculin (m) ou féminin (f). Quand un mot peut être masculin *ou* féminin, les deux lettres sont indiquées (m/f).

atmosphère (f) : une couche d'air qui entoure la Terre.

couche d'ozone (f) : une quantité d'un gaz constitué d'oxygène, appelé l'ozone, situé au-dessus de la Terre. La couche d'ozone bloque certains rayons nocifs du Soleil.

humide : qualifie ce qui contient de l'eau ou de la vapeur. Par exemple, par temps humide, l'air contient beaucoup de vapeur d'eau.

intempéries (f) : des conditions météorologiques difficiles, comme des vents violents, de fortes pluies, du tonnerre et des éclairs.

météorologiste (m/f) : une ou un scientifique qui étudie et prédit le temps.

précipitations (f) : l'eau, sous forme de pluie, de grêle ou de neige, qui tombe des nuages.

sphérique : qualifie ce qui a une forme ronde. Tous les points de la surface d'une sphère sont à égale distance du centre.

vapeur d'eau (f) : de l'eau sous forme de gaz. L'eau se transforme en vapeur quand elle bout ou s'évapore sous la chaleur du Soleil.

Index

Parlons-en !

1 Le temps a une influence sur l'humeur des gens. Pourquoi les gens sont-ils de bonne humeur pendant les journées chaudes et ensoleillées ? Quelle est l'influence des journées grises et pluvieuses sur notre humeur ? Pourquoi ? Suggère des façons qui t'aideraient à améliorer ton humeur pendant ces journées. Quel type de temps te rend de bonne humeur ? de mauvaise humeur ?

2 Nomme quelques effets désastreux des intempéries. Trouve des exemples récents dans le monde. Comment les populations peuvent-elles se préparer à de tels phénomènes afin de minimiser les dommages ?

3 Le réchauffement de la planète qui bouleverse les conditions météorologiques préoccupe les scientifiques. Quelle est la cause de ce réchauffement ? Que peux-tu faire pour freiner ce réchauffement ? Nomme certains groupes qui cherchent à protéger la Terre contre ces changements. Que suggèrent-ils pour empêcher le réchauffement de la planète ?